# Débora GAROFALO

No meio do caminho tinha... coragem

Copyright © 2019 Carochinha

Todos os direitos reservados. Nenhuma parte desta obra pode ser reproduzida, arquivada ou transmitida, de nenhuma forma ou por nenhum meio, sem a permissão expressa e por escrito da Carochinha.

Impresso no Brasil

**EDITORES** Diego Rodrigues e Naiara Raggiotti

**EQUIPE**
**ADMINISTRATIVO** Amanda Gonçalves, Cristiane Tenca e Rose Maliani
**ARTE** Bruna Parra e Elaine Alves
**CAPA, DIAGRAMAÇÃO E PROJETO GRÁFICO** Lilian Ogussuko

**COMERCIAL** Elizabeth Fernandes e Márcia Louzada
**EDITORIAL** Karina Mota e Luiza Acosta
**MARKETING E COMUNICAÇÃO** Fernando Mello e Karina Mota
**PEDAGÓGICO** Cristiane Boneto, Cristiane Monteiro, Jessica Costa e Nilce Carbone
**REVISÃO** Isabel Ferrazoli e Tomoe Moroizumi

---

Dados Internacionais de Catalogação na Publicação (CIP) de acordo com ISBD

---

B712d  Boneto, Cristiane

    Débora Garofalo: No meio do caminho tinha... coragem / Cristiane Boneto ; ilustrado por Gabriela Gil. - São Paulo, SP : Carochinha, 2019.
    96 p. : il. ; 16cm x 23cm. – (Siga o mestre ; v.1)

    ISBN: 978-85-9554-120-7

    1. Literatura infantojuvenil. 2. Lixo. 3. Transformação. I. Gil, Gabriela. II. Título. III. Série.

                        CDD 028.5
22019-1930                     CDU 82-93

---

      Elaborado por Vagner Rodolfo da Silva - CRB-8/9410
      Índice para catálogo sistemático:
      1. Literatura infantojuvenil   028.5
      2. Literatura infantojuvenil   82-93

rua mirassol 189 vila clementino
04044-010 são paulo sp
11 3476 6616 : 11 3476 6636
www.carochinhaeditora.com.br
sac@carochinhaeditora.com.br

Curta a Carochinha no Facebook...
 /carochinhaeditora
... e siga a Carochinha no Instagram!
 /carochinhaeditora

# Débora GAROFALO

No meio do caminho tinha... coragem

Cristiane Boneto

ilustrado por
Gabriela Gil

carochinha

# capítulo
## um

No dia 12 de setembro de 1979 nascia na cidade de São Paulo, SP, oficialmente, a menina Débora. Sim, oficialmente, porque na certidão de nascimento consta esse dia, mas não sabemos ao certo o dia em que conheceu o mundo pela primeira vez. A única informação que temos é que, provavelmente, tenha sido registrada quando já tinha cerca de três meses de vida. Isso mesmo! Em

Mapa sem escala.

épocas passadas, era muito comum registrar os filhos um tempo depois, principalmente os que nasciam antes da hora.

Muita gente falou que se tratava de um verdadeiro milagre! Bebês que nasciam tão precocemente, aos seis meses de gestação, eram considerados "quase mortos". E, como dizia a mãe, Débora já nasceu persistente, embora, por muitos, desacreditada. Mas isso não foi um obstáculo, porque ela insistiu, persistiu e resistiu aos inúmeros problemas de saúde que teimavam em aparecer e permanecer.

Você sabia que, durante a gestação, os pulmões são os últimos órgãos a se desenvolver? Pois é, os pulmões de Débora ainda não estavam totalmente maduros, por isso ela enfrentou vários problemas respiratórios, como pneumonias, que demoraram a passar.

Ainda bem que a menina Débora podia contar com a mãe, dona Lourdes. Ela enfrentou bravamente cada uma das enfermidades

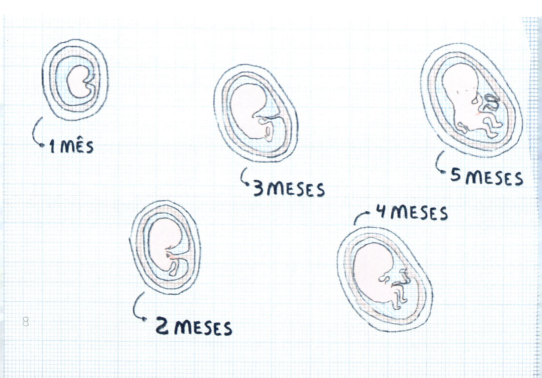

da pequena Débora, que, de pequena mesmo, só tinha a idade, pois era grande em braveza e em estatura.

na ponta da língua

**BRAVEZA**: ato de quem é bravo, corajoso.

Não era raro ver dona Lourdes – uma mulher forte e guerreira, ainda que miúda e franzina – com a pequena grande Débora nos braços indo novamente ao hospital por conta da pneumonia. Na época do inverno, as coisas ficavam ainda piores. Enfrentando o frio e a garoa, lá ia a grande guerreira com a filha no colo pegar o ônibus, porque as coisas não estavam fáceis e até o automóvel que a família tinha já havia sido vendido.

Além da dificuldade financeira, a família de Débora, como muitas outras famílias, passava por outras situações complicadas. Dona Lourdes declarava para quem quisesse ouvir que, independentemente do que o marido fizesse, ela estaria com ele – afinal, o casamento era sagrado. Alguns chamavam isso de amor; outros, de

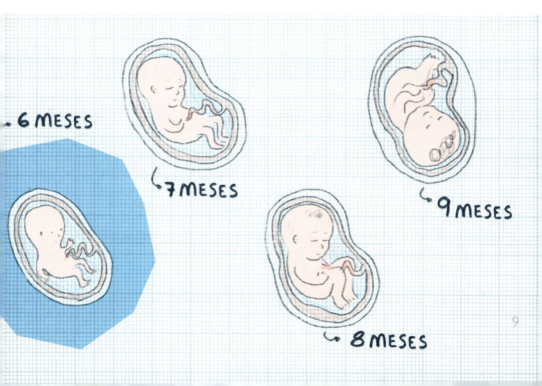

obstinação. A única pessoa que talvez fosse capaz de responder não está mais entre nós. Sabemos apenas que, quando a pequena Débora nasceu, Lourdes e Joaquim se separaram... Na verdade, Joaquim, que já não era lá muito presente, resolveu ir embora, abandonando dona Lourdes com as três filhas. E assim as quatro tiveram que se virar de vez. Raramente o pai aparecia e, com o tempo, sumiu.

Dona Lourdes sempre procurava olhar o lado bom das coisas e, mesmo diante de tantas adversidades, se alegrava. A filha caçula, afinal, estava melhor de saúde e já podia ir para casa. Essa energia certamente irradiava por onde as duas passavam. Durante suas jornadas, dona Lourdes quase sempre encontrava pessoas generosas, que, ao observar tamanha dedicação e garra, se dispunham a ajudá-la.

## ESSA EU NÃO SABIA...

Em grego, a palavra *aletheia* significa "verdade", nome que dona Lourdes descobriu ao assistir a um filme, que não sabemos ao certo qual foi.
Pelo jeito, ela ficou encantada com o nome e com o que ele representa.

Ah! Não podemos nos esquecer de apresentar o restante da família, na verdade, um quarteto de guerreiras! Já conhecemos um pouco a Débora, nossa protagonista, e a dona Lourdes, líder da turma; agora nos resta apresentar as irmãs Aletheia e Andreia.

Por incrível que pareça, o nome veio mesmo a calhar. Acredite você ou não, a Aletheia, a filha do meio, fazia questão de sempre repetir um de seus lemas: "Doa a quem doer, mas vou dizer a verdade". Nessa hora, a pequena Débora achava a irmã uma

chata, mas, depois que a fúria passava, ela percebia que talvez aquele fosse mesmo o melhor caminho. Só que, convenhamos, às vezes a verdade dói e irrita.

Falta agora apresentar a filha mais velha, a Andreia. Uma palavra que a representa? Bagunça! Era o copo sujo deixado na pia, a cama desarrumada, a casa suja... Mas quem nunca, não é mesmo? De fato, a filha primogênita de dona Lourdes dava um bocado de trabalho. Débora ainda se lembra do dia em que Andreia se escondeu, sabe-se lá onde, e colocou todo mundo doido atrás dela. "Essa sua filha é danada...", diziam alguns parentes e conhecidos; outros completavam: "Eita menina rebelde!".

Aletheia e Andreia tinham uma importante tarefa: cuidar da pequena Débora. Afinal, a guerreira mãe era agora a mantenedora da casa e precisava trabalhar muito para garantir o sustento da família. Pelo que já sabemos sobre a Débora, deveria ser uma tarefa simples, não acha? Engano nosso! Além de persistente e guerreira, nossa pequena era muito arteira. Se você procurar no dicionário o significado dessa palavra, verá a quantidade de qualidades de nossa protagonista...

na ponta da língua

ARTEIRO: que faz travessuras.

Aletheia era como uma segunda mãe para a pequena Débora... Levava a irmãzinha à escola, fazia comida, estava sempre por perto. Quer dizer, quase sempre. Exceto no dia em que a caçula resolveu pintar o banheiro inteiro de preto! Com o quê? Sabe-se lá... A única coisa que sabemos é que sobrou para as duas irmãs. Andreia e Aletheia tomaram umas palmadas por não terem "cuidado" tão bem da menina arteira.

## falando nisso...

**A Lei da Palmada**

A lei nº 13.010/2014, conhecida informalmente como Lei da Palmada, entrou em vigor no dia 26 de junho de 2014 para estabelecer formalmente o direito da criança e do adolescente de serem educados e cuidados sem o uso de violência física ou psicológica. Dê só uma olhadinha no texto oficial:

> **Lei nº 13.010, de 26 de junho de 2014**
>
> [...]
>
> Art.18-A. A criança e o adolescente têm o direito de ser educados e cuidados sem o uso de castigo físico ou de tratamento cruel ou degradante, como formas de correção, disciplina, educação ou qualquer outro pretexto, pelos pais, pelos integrantes da família ampliada, pelos responsáveis, pelos agentes públicos executores de medidas socioeducativas ou por qualquer pessoa encarregada de cuidar deles, tratá-los, educá-los ou protegê-los.
>
> Parágrafo único. Para os fins desta Lei, considera-se:
>
> I - castigo físico: ação de natureza disciplinar ou punitiva aplicada com o uso da força física sobre a criança ou o adolescente que resulte em:
> a) sofrimento físico; ou
> b) lesão;
>
> II - tratamento cruel ou degradante: conduta ou forma cruel de tratamento em relação à criança ou ao adolescente que:
> a) humilhe; ou
> b) ameace gravemente; ou
> c) ridicularize.
>
> [...]

Fonte: Portal da Legislação. Disponível em: <http://www.planalto.gov.br/ccivil_03/_Ato2011-2014/2014/Lei/L13010.htm>. Acesso em: 25 out. 2019.

Por falar em traquinagens...

Débora adorava nadar e brincar com água. Estava sempre inventando fórmulas fantásticas do tipo misturar xampu com pasta de dentes, papel higiênico com sabonete e água, e outras invenções que, certamente, você deve conhecer. Mas o que deixava mesmo dona Lourdes muito irritada era a mania de Débora ficar desmontando as coisas. Bastava bobear, e lá estava o rádio desmontado, o relógio desparafusado, a televisão sem as peças. Lourdes dizia que a menina seria uma grande cientista. Puxa, será que a poderosa mãe tinha uma bola de cristal?

Mas nem todos acreditavam nisso. Para muitos, inclusive familiares, as três meninas iam mesmo encher a casa de filhos: "Que ser cientista nada! Sabe por quê? Porque menina que cresce sem a presença do pai só pode dar nisto: vai virar só cuidadora da casa e de uma porção de filhos!". Pode parecer estranho e até insensível, mas era muito comum criticar uma estrutura familiar que não seguisse os padrões da época. Se pensarmos bem, hoje isso ainda acontece...

De qualquer forma, parece que seguir padrões não era muito a praia da nossa Débora, que adorava brincar de boneca, mas não abria mão de seus carrinhos. Montar cabana era com ela mesma, e, se a chamassem para jogar, topava na hora, mesmo que fosse "jogo de menino".

> **na ponta da língua**
>
> **OSSO DURO DE ROER**: pessoa ou coisa difícil de lidar.
> **DESPEJADO**: obrigado a sair de um lugar, desocupá-lo.

Já descobrimos que, desde o nascimento, nossa pequena grande guerreira e arteira com pinta de cientista era osso duro de roer. Nunca desistia do que queria e, quando botava alguma coisa na cabeça, ninguém tirava.

Ela se recorda de palavras duras que nem mesmo a água das lágrimas foi capaz de amolecer e de acontecimentos que o tempo não foi capaz de apagar da memória. Certo dia, quando ela estava brincando no quintal de terra batida da casa onde morava com a mãe e as irmãs (na verdade, a "casa" era um quartinho sem banheiro que um tio havia emprestado depois de terem sido despejadas de onde moravam), o tio passou por cima dos seus brinquedos com a moto, esmagando tudo. Não se sabe se isso foi de propósito ou sem querer, mas aconteceu mais de uma vez. Além desse episódio recorrente, várias frases até hoje ecoam em seus pensamentos.

Ainda bem que existem pessoas adivinhas, como a mãe de Débora, para levantar nosso moral. Sem contar aquelas que tentam fazer profecias, mas fracassam! O problema é que acabamos confiando no que os outros dizem e deixamos de acreditar em nós mesmos. Mas nossa Débora, não! Afinal, era filha de dona Lourdes, uma grande guerreira que sempre encontrava a luz no final do túnel e, mais do que isso, incentivava as filhas e acreditava nelas.

na ponta da língua

**PROFECIA**: previsão do futuro.

Além de ter herdado a garra da mãe, é bem provável que Débora tenha puxado a ela na qualidade ou no dom de professar, de declarar em público. Desde pequena, nossa guerreira, arteira com pinta de cientista que vivia desmontando coisas, também adorava ensinar aos outros.

Gisele e Betinho que o digam... Amigos de rua, com quase a mesma idade, foram inúmeras vezes alunos da professora Débora, que já tinha lá seus 6 anos de idade. A pequena professora tinha muitos alunos, alguns eram de carne e osso; outros, imaginários. Porém, independentemente de estarem presentes fisicamente, todos tinham que fazer a lição.

Só que no ofício nem tudo estava completo! A pequena professora precisava muito de uma lousa, afinal, era um importante instrumento de trabalho. Pediu uma, duas, três, quatro, dez vezes, até que, finalmente, conseguiu. Quem resistiria a um pedido tão especial e insistente? A professora Débora agora era quase profissional: tinha uma lousa só para ela! E para seus alunos, claro. O presente, ainda que pequeno em tamanho (30 cm x 50 cm), era grandioso em importância e a acompanhou por muitos e muitos anos. Na verdade, a acompanha até hoje.

Débora, além de ótima professora, sempre foi uma boa aluna. Seu boletim era elogiado, um verdadeiro desfile de boas notas. Adorava a escola, não apenas a que havia criado com os amigos de rua, mas a que frequentava todos os dias. A única coisa que a chateava eram as lembrancinhas que todos eram obrigados a fazer nas datas comemorativas, especialmente aquelas do Dia dos Pais. E quem não tinha pai? O aluno era quase obrigado a ter um, sabe-se lá como!

Certamente, os professores não tinham a menor noção dos problemas que esse costume poderia causar. Até hoje uma cena atormenta a nossa pequena Débora.

Era Dia dos Pais, e Débora PRECISAVA entregar o tal presente para o homem que todos diziam ser seu pai. Assim o chamavam, menos ela. Tudo pronto e arrumado, o encontro seria na pracinha perto da escola. E lá se foi nossa pequena Débora com seu uniforme e o tal presente em mãos.

O homem estava sentado no banco. Débora estava suada, afinal, não era o tipo de criança que saía da escola do mesmo jeitinho que entrava, com o uniforme impecável, cheirando a amaciante. Naquele momento ela era apenas uma criança prestes a encontrar alguém que, se quisesse, poderia mudar a relação até então existente – ou inexistente, ou parcialmente existente. E sabe o que aconteceu? O homem simplesmente disse: "Não suba no meu colo porque vai me sujar!". E o presente? Ela nem se lembra se o entregou ou não. A única coisa de que se lembra é que aquele foi o último encontro deles.

Débora foi crescendo em uma casa de mulheres guerreiras, cada qual com suas características próprias; algumas, mais danadas e arteiras; outras, mais afetuosas e caseiras, mas todas muito especiais. Afinal, cada pessoa utiliza na construção de sua vida os instrumentos que possui.

Andreia, a bagunceira, aos 18 anos casou-se com Aroldo, que foi, esse sim, como um pai para nossa pequena Débora, agora com 11 anos de idade. Aroldo foi quem a ensinou a nadar, quem sempre levava presentinhos e guloseimas e quem, segundo as irmãs, "ficava mimando a menina". Ela nunca se esqueceu do dia em que, sem querer, quebrou o espelho da moto de Aroldo, que gostava muito do veículo. Foi aquele alvoroço. A mãe e as irmãs já estavam prontas para brigar com ela. Então, o rapaz, pacientemente, disse que não tinha problema nenhum e que logo consertaria o estrago. Ah! O Aroldo foi quem levou Débora até o altar quando ela se casou, mas essa história ficará para o próximo capítulo.

# capítulo dois

Certo dia, Débora encasquetou que precisava trabalhar. Na verdade, esse desejo não brotou do nada. De tanto ver o duro que a mãe dava todos os dias, a menina decidiu ir em busca de um emprego. Será que alguém contrataria uma menina de 12 anos? Isso mesmo, ela tinha apenas 12 anos. Para muitos, podia parecer precoce demais; para outros, já era tarde. Você sabia que desde muito tempo atrás – e até hoje, mesmo sendo proibido – muitas crianças trabalham desde pequenas?

Dia após dia, a menina, com o olhar atento e muita persistência, descobriu uma grande oportunidade. A escola de educação infantil localizada perto de onde morava estava precisando de uma recreacionista. Pronto! Assim como havia aprendido com a mãe, o otimismo tomou conta de Débora. Ela teve certeza de que aquele seria seu primeiro emprego e de que logo poderia ajudar nas despesas de casa. O que uma recreacionista fazia ela não sabia muito bem, mas isso pouco importava! Estava disposta a aprender a ser a melhor recreacionista que a dona da escola já havia conhecido.

> **na ponta da língua**
> **RECREACIONISTA:** pessoa que desenvolve atividades esportivas e de entretenimento (jogos e brincadeiras) com crianças, adolescentes ou adultos.

A escola não era muito grande, tinha poucos alunos, mas alunos muito especiais. Daqui a pouco você vai saber um pouco mais sobre esses tais alunos...

## falando nisso...

**Você sabe o que é trabalho infantil?**
De acordo com a lei brasileira, trabalho infantil é qualquer forma de trabalho realizado por crianças e adolescentes com menos de 16 anos, exceto quando na forma de aprendiz, em que a idade mínima passa para 14 anos. Embora a nossa Débora tenha começado a trabalhar aos 12 anos, hoje ela é uma ativista que defende o fim do trabalho infantil e o respeito aos direitos da criança e do adolescente.

A dona da escola, uma senhora simpática e generosa, que enxergava longe mesmo sem usar óculos, pacientemente explicou para Débora as tarefas de uma recreacionista. E a menina vibrou com o que estava ouvindo. Brincar e se divertir com os outros era com ela mesma! No mesmo instante se lembrou das palavras da mãe, que sempre dizia: "Vai dar tudo certo!".

Até daria, se ela não tivesse apenas 12 anos. Como contratar alguém com tão pouca idade? Débora não poderia nem assinar

### ESSA EU NÃO SABIA...

**Contexto histórico e social**
Muitas vezes, temos o hábito de criticar as coisas que julgamos conhecer, mas será que observamos e tentamos compreender o cenário em que elas acontecem ou aconteceram? O lugar onde um fato ocorreu, a época em que se passou, os variados elementos envolvidos, os diferentes pontos de vista; tudo isso precisa ser levado em conta. Caso contrário, corremos o risco de engolir uma história sem, de fato, saboreá-la – e entendê-la – como se deve, deixando-se levar por prejulgamentos.

# OS NÚMEROS DO TRABALHO INFANTIL NO MUNDO

**152** MILHÕES DE CRIANÇAS DE 5 A 17 ANOS FORAM SUBMETIDAS AO TRABALHO INFANTIL EM 2016

**64** MILHÕES SÃO MENINAS

**10** MILHÕES DE CRIANÇAS E ADOLESCENTES SÃO VÍTIMAS DE ESCRAVIDÃO

**88** MILHÕES SÃO MENINOS

AMÉRICA (INCLUINDO O BRASIL) **10,7 MILHÕES**

ORIENTE MÉDIO **1,2 MILHÃO**

EUROPA E ÁSIA CENTRAL **5,5 MILHÕES**

ÁSIA E PACÍFICO **62,1 MILHÕES**

ÁFRICA **72,1 MILHÕES**

BRASIL ~ **2,7 MILHÕES** (DADOS DE 2015)

Acesso em: 6 nov. 2019; ONG Rede Peteca – Chega de Trabalho Infantil

um contrato de trabalho. Quando contratam funcionários, as empresas precisam seguir as leis que regulam as relações de trabalho – as chamadas leis trabalhistas. Sabe-se que nem todas as empresas seguem essas regras, mas isso já são outros quinhentos...

O que será que aconteceu? Para responder a essa questão, vamos voltar um pouquinho na história... Você conheceu, lá no começo do livro, a bebê insistente que recebeu o nome de Débora, na verdade, Débora Denise – aliás, segundo a mãe, o mesmo nome de uma princesa de origem desconhecida, mas uma princesa... Bem, a nossa princesa persistente tinha uma mãe meio teimosa. Será que dá para prever o que aconteceu? Não? Então escuta só...

Débora disse para a futura chefe que não se preocupasse porque dona Lourdes, mãe e responsável por Débora, iria até a escola para assinar o tal contrato. Claro que ela disse isso sem ao menos ter consultado a mãe.

Naquele dia, a princesa insistente chegou em casa com aquela cara lavada, toda animada, dizendo que tinha resolvido os problemas da família, porque agora ela estava empregada e poderia ajudar a pagar as contas. Depois de tal pronunciamento, a casa veio abaixo. Dona Lourdes até chegou a pensar que fosse brincadeira de criança, mas, conhecendo a filha como conhecia, logo a preocupação tomou conta de seus pensamentos e ela percebeu que o assunto era sério. Na verdade, sério demais, porque, para

> **na ponta da língua**
>
> **OUTROS QUINHENTOS**: expressão que quer dizer outra coisa, algo diferente. Você sabia que essa expressão tem versões que remontam à Idade Média (entre os séculos V e XV), quando se tinha uma dívida? Dizia-se que a pessoa devia 500 soldos – moeda antiga de Portugal.
>
> **CARA LAVADA**: expressão utilizada para definir uma pessoa que tem sinceridade nas intenções, que não mente.

## falando nisso...

### Como funcionam as leis trabalhistas?

No Brasil, as relações de trabalho são reguladas pela Consolidação das Leis de Trabalho (CLT), que entrou em vigor em 1943. Nos oito capítulos da CLT são regulamentadas diversas questões, como jornada de trabalho, salário mínimo, férias, segurança no trabalho e proteção ao trabalho da mulher e do menor de idade, entre outras. Com o desenvolvimento das tecnologias, novas relações de trabalho foram se estabelecendo, e agora a CLT tem sido alvo de debates que discutem formas de adequá-la a essas transformações.

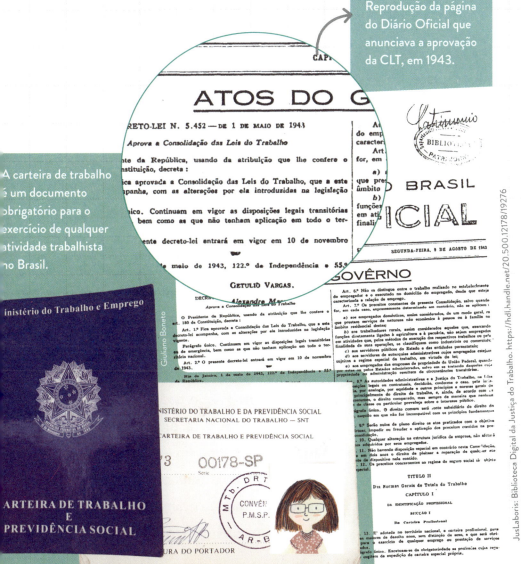

Reprodução da página do Diário Oficial que anunciava a aprovação da CLT, em 1943.

A carteira de trabalho é um documento obrigatório para o exercício de qualquer atividade trabalhista no Brasil.

trabalhar na escola, Débora precisaria passar a estudar no período noturno. Imagine... uma menina de 12 anos, quase completando 13 (sim, ela tinha de 12 para 13 anos quando ingressou na 8ª série), trabalhando durante o dia e estudando à noite?

Sim, acertou. Durante o dia, a mais nova recreacionista do bairro passava a conviver com as crianças e os funcionários da escola infantil e, no período noturno, tinha como companhia a turma da 8ª série, atual 9º ano. A nossa pequena grande guerreira, arteira com pinta de cientista, e agora recreacionista, começava a crescer. Mas, para dona Lourdes, rápido demais.

Quer saber de uma fofoca? Sabe o que ela comprou com o primeiro salário? Um guarda-roupa! Foi isso mesmo que você ouviu, ou melhor, leu – ela sonhava com um guarda-roupa! Até então, as roupas da menina ficavam em cima de uma cadeira, e isso a incomodava demais. Imagine só: você conseguir, com o próprio esforço, se livrar de uma coisa que o incomoda tanto? Pena que ela, ainda criança, teve que trabalhar para conseguir isso... E você? O que você mudaria na sua vida?

Você se lembra dos alunos especiais mencionados na primeira página deste capítulo? Sabemos que todos são especiais, mas esses eram ainda mais especiais; alguns os chamariam de alunos com necessidades especiais. Na escola em que Débora trabalhava, apesar de não ser obrigatório como é hoje em dia, acolhia-se todo tipo de criança, inclusive aquelas que eram rejeitadas em vários outros locais. E adivinhe? Uma das pessoas que ficaram respon-

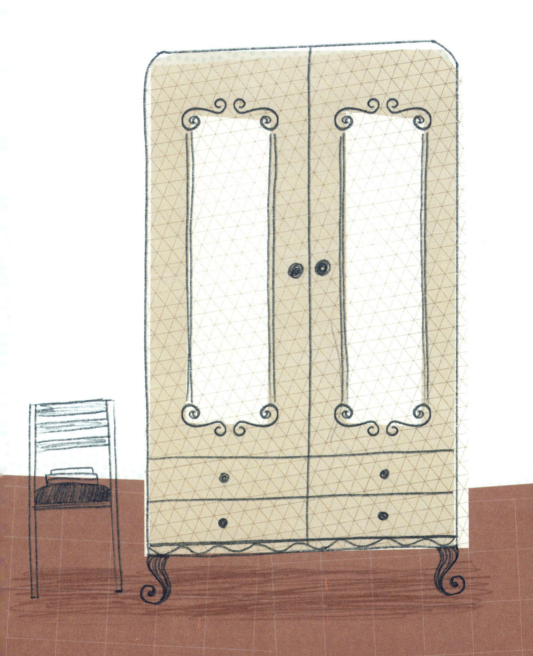

## falando nisso...

**A lei que inclui**

A Lei Brasileira de Inclusão, também chamada de Estatuto da Pessoa com Deficiência (Lei 13.146/2015), entrou em vigor em janeiro do ano de 2016. Entre os avanços garantidos pela nova lei, está a presença de um sistema educacional inclusivo em todos os níveis e modalidades de ensino. A nova lei estabelece um atendimento educacional especializado, com fornecimento de profissionais de apoio capacitados, e proíbe as escolas particulares de cobrar valores adicionais por esses serviços.

---

sáveis por ajudar esses alunos foi a nossa Débora, a mais nova funcionária da escola, tanto em tempo de serviço quanto em idade.

---

O Thiago dava bastante trabalho. E quase toda hora ele tinha que ser trocado porque fazia cocô na roupa. Você deve estar se perguntando: "E o que há de anormal nisso?". Todo mundo já deve ter sujado a cueca ou a calcinha pelo menos uma vez na vida quando criança, e alguns até na vida adulta.

A grande questão era que Thiago já tinha uma idade em que não era mais tão comum deixar escapar o xixi e o cocô; além disso, esse episódio acontecia quase todo dia e quase toda hora. Foi então que a escola resolveu chamar a mãe do garoto, afinal, nessa hora os adultos, quase sempre, precisam ser consultados.

No entanto, o que ninguém esperava era escutar a verdadeira história de Thiago. Ele tinha sido jogado no rio pela mãe biológica ao nascer e, por causa disso, havia ficado com graves sequelas – e ninguém nunca soube ao certo como ele foi resgatado nem por quem. Mais um bebê persistente nesta história e uma mãe guerreira. Mesmo não tendo gestado e dado à luz a criança, a mãe de Thiago sentiu um amor incondicional por ele quando o conheceu. Ela acreditava que tudo daria certo, apesar de todas as dificuldades e adversidades.

Por falar em gente guerreira, parece que a nossa Débora tinha a grande capacidade ou missão de encontrar essas pessoas, tão parecidas em tantas coisas. Naquela época, havia um outro garoto da escola que desenhava com os pés. Como era o nome dele? Não se tem essa informação, mas ele bem poderia ser chamado de Menino Maluquinho ou até... Stegmann. Você já tentou desenhar com os pés? Quando não se tem os braços ou as mãos, mas se tem o desejo, a coragem, a determinação e,

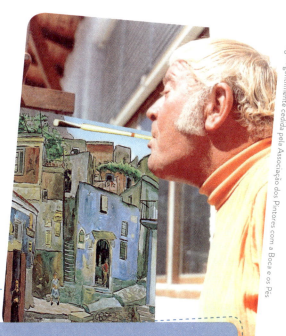

Arnulf Stegmann utilizando aquarela para pintar a obra *Nerano*, em 1983.

Imagem gentilmente cedida pela Associação dos Pintores com a Boca e os Pés

**ESSA EU NÃO SABIA...**

Arnulf Erich Stegmann nasceu em 1912, em Darmstadt, na Alemanha. Aos 2 anos de idade, Stegmann contraiu o vírus da poliomielite e perdeu os movimentos. Mas ele não se deixou abater. Quando começou a mostrar que tinha talento para a pintura, recebeu o apoio da família e dos professores. Passou a pintar com a boca, usando diferentes tipos de pincéis e estilos, e ganhou reconhecimento mundial. Em 1956, Stegmann reuniu um grupo de artistas com algum tipo de deficiência e fundou o que se tornaria a Associação de Pintores com a Boca e os Pés, que hoje representa aproximadamente 800 artistas em 75 países ao redor do mundo. Stegmann faleceu em 1984.

# REPÚBLICA FEDERATIVA DO BRASIL

Nº 000741-1

ESTADO DE SÃO PAULO
UNIDADE DE FEDERAÇÃO

ESCOLA ESTADUAL DE INTERLAGOS
NOME DO ESTABELECIMENTO DE ENSINO

AV. ALCINDO FERREIRA, 04 – JARDIM CRUZEIRO
ENDEREÇO COMPLETO

SECRETARIA DE ESTADO DA EDUCAÇÃO
NOME DA ENTIDADE MANTENEDORA

DECRETO N° 40.823, DE 10 DE MAIO DE 1996
ATO, N.º, ORGÃO DO PODER PÚBLICO QUE AUTORIZOU OU RECONHECEU O FUNCIONAMENTO DO ESTABELECIMENTO

O DIRETOR: DA ESCOLA ESTADUAL DE INTERLAGOS

CONFERE A: DEBORA DENISE DIAS    RG 26.282.251-9/SP

NATURAL DE: SÃO PAULO    UNIDADE DE FEDERAÇÃO    ESTADO DE SÃO PAULO

NASCIDO (A) EM 12/SETEMBRO/1979    O PRESENTE DIPLOMA POR HAVER CONCLUIDO

EM 30/DEZEMBRO/1998    CURSO NORMAL    DO ENSINO MÉDIO.

TÍTULO PROFISSIONAL CONFERIDO: Professor de Educação Infantil e de 1ª à 4ª série do Ensino Fundamental

FUNDAMENTO LEGAL: Lei Federal n.° 9394/96 artigo 62 e Deliberação CEE 30/87

São Paulo, 04 de outubro de 2004

Maria de Moura B. e Silva
Diretor de Escola
RG: 12.745.874
MEC 61.127

TITULAR DO DIPLOMA IDENTIFICADO

Maria de Moura B. e Silva
Diretor de Escola
RG: 12.745.874
MEC 61.127

Arquivo pessoal

claro, incentivadores, é possível escrever, desenhar e realizar tudo o que quiser, utilizando o que temos de melhor!

O tempo foi passando e Débora, crescendo, não só de idade, mas também profissionalmente. Na escola em que trabalhava, conheceu muita gente inspiradora e uma diretora que, assim como sua mãe, acreditou no potencial da pequena menina professora.

Foi nessa época que Débora descobriu um curso que poderia transformá-la em professora "de verdade", quer dizer, que lhe entregaria um diploma e a possibilidade de ser "reconhecida" como profissional da educação. Puxa, será que um papel seria o suficiente para conferir a alguém um título tão importante? Enfim, esses já são – também – outros quinhentos. O fato é que ela precisaria desse documento, afinal, lei é lei. E tem mais: para ingressar no tão sonhado curso era preciso realizar uma prova. E daquelas que dão frio na barriga!

Mas Débora, como sempre, não se intimidou. Estudou bastante e foi aprovada no Magistério, para orgulho da dona Lourdes. No mesmo dia em que elas ficaram sabendo da aprovação, foram fazer a matrícula na escola. Dona Lourdes até chorou de tanta emoção. Você também já se emocionou com algo que aconteceu com uma pessoa querida?

Por falar em pessoa querida, não podemos deixar de apresentar a Lelê, afinal, ela veio aumentar a família de mulheres guerreiras. Você se lembra da Andreia, a irmã mais velha de Débora? Ela ficou grávida e deu à luz uma linda menina, a Letícia. Nossa história agora passa a ser do quinteto de mulheres fantásticas.

Existem algumas frases que são ditas e jamais esquecidas, não é mesmo? Com a Débora não foi diferente. Durante anos, ela ouviu uma frase de uma professora do Magistério que ecoa até hoje em seus pensamentos: "Se vocês não estudarem, poderão matar, de uma única vez, trinta alunos". O que será que ela queria dizer com isso? Como seria possível "matar" uma pessoa apenas com gestos e palavras? Afinal, é proibido por lei qualquer tipo de agressão física a qualquer pessoa!

A professora, claro, sabia disso. O que ela quis dizer aos alunos do Magistério, futuros professores, é que eles teriam o futuro de crianças nas mãos quando fossem dar aula. Se eles não fossem bons professores, capazes não só de ensinar, mas de inspirar, toda uma classe de alunos poderia "morrer". Era uma metáfora.

Mas veja como é o destino, se é que podemos assim chamar o que ocorreu logo depois. Essa mesma professora, que continuava deixando marcas e participando da construção da identidade de cada um daqueles estudantes-professores, viveu uma situa-

## ESSA EU NÃO SABIA...

Metáfora é quando usamos uma palavra ou expressão em lugar de outra, sem que haja necessidade de uma relação real. É como se fosse uma comparação. Você já viu alguém com uma pele de pêssego? Acho que não, né?! Mas usamos essa expressão quando a pele dessa pessoa é macia como a do pêssego... parece meio aveludada.

ção dramática. Ela lecionava Biologia e não usava as mesmas estratégias que a maioria dos professores do curso. Nas suas aulas, que quase sempre eram realizadas fora da sala de aula e até fora da escola, os alunos eram encorajados e estimulados a mexer com pedras, observar pequenos animais e plantas, manipular tubos e líquidos, construir experimentos e, a partir dessas vivências, compartilhar saberes e sonhos. Mas viver esse tipo de aventura nem sempre é tão simples assim. Sair do padrão e arriscar coisas novas pode ser prazeroso, mas às vezes pode se tornar doloroso.

> **na ponta da língua**
> **BIOLOGIA**: ciência que se dispõe a estudar a vida e os organismos vivos. Você também gosta de estudar organismos vivos? Quem sabe se torne um biólogo.

Certo dia, essa professora aventureira levou os alunos até a praia e transformou o ambiente em uma grande sala de aula, sem carteiras, quadro, muros e paredes. Será que todo mundo estava preparado para tamanha liberdade? Será que as paredes de concreto que delimitavam o espaço eram realmente necessárias? Ainda que não existam respostas prontas para essas perguntas, certamente tudo o que aquela professora queria era fazer diferença na vida de seus alunos. No entanto, ela acabou se deparando com o que menos esperava. Todos os combinados prévios e os conselhos dos colegas não foram suficientes para conter o desejo de uma aluna, que acabou se aventurando no mar e quase se afogou.

O prazer e a satisfação se misturaram com a dor e o sofrimento, e a professora teve que assumir o seu papel, ou melhor, um de seus inúmeros papéis na vida desses estudantes. Colocou os demais alunos no ônibus para que pudessem voltar para a escola e permaneceu o tempo todo com a aluna, que precisou ser hospitalizada. Ainda bem que por pouco tempo. Ela logo se recuperou, e esperamos que tenha aprendido com essa experiência.

## falando nisso...

**O papel de cada um**

Você já deve ter percebido que, no dia a dia, temos muitos papéis, certo? Isso não tem a ver com algum tipo de papel físico – como papel higiênico, papel para escrever e desenhar –, mas, sim, com outros tipos de papel, como papel de estudante, de filho ou filha, irmão ou irmã e muitos outros. O mais curioso é que podemos exercer vários papéis em um único dia. Cada vez que desempenhamos um papel, interagimos com o outro, deixando marcas e recebendo marcas dessa interação. Nossa Débora, ao mesmo tempo em que era marcada pelas situações vividas como estudante, deixava marcas em seus alunos como professora. É muita marcação, não é mesmo? Você já parou para pensar nas marcas que está deixando no mundo e nas pessoas?

PROFESSORA

ESTUDANTE

filha

IRMÃ

MÃE

amiga

    Existe um velho ditado popular que diz: "Depois da tempestade, vem a bonança". Talvez a professora aventureira não tenha percebido o quanto sua atitude – para alguns, irresponsável – foi tão responsável! Responsável pela certeza de que ser professor é muito mais do que "dirigir" um grupo de alunos. Ser professor é saber lidar e agir nas mais diferentes situações. Ser professor é saber que nem sempre as coisas saem da forma que se planeja. Ser professor é tentar prever o imprevisível. Ser professor é ter nas mãos a vida de muitas pessoas.

    Naquele momento, Débora, nossa estudante-professora, teve a certeza do tamanho de sua responsabilidade e a certeza maior ainda de que era aquilo que desejava fazer: lutar pela vida de seus alunos. Afinal, lutar pela vida era com ela mesma!

> **na ponta da língua**
>
> **DEPOIS DA TEMPESTADE, VEM A BONANÇA:** ditado popular segundo o qual, depois de situações complicadas, vem um tempo de tranquilidade e felicidade. Na navegação, por exemplo, refere-se aos momentos de calmaria posteriores à tempestade.

Até aqui, a nossa Débora, que adorava água e vivia desmontando as coisas quando pequena, tinha conhecido uma professora que adorava o mar e os animais e vivia propondo ações e novas experimentações, sempre lutando pela vida e pelos sonhos de seus alunos. Da mesma forma, a Débora que tinha lutado pela vida ao nascer acabara de cruzar com outro lutador – o Thiago, que havia sobrevivido, mesmo que com sequelas; essa mesma Débora encontrara agora a mãe que o havia resgatado e o amado. Será que a vida é feita de encontros e reencontros? Ou, melhor, será que a nossa vida é constituída desses encontros e reencontros?

Várias pessoas dizem que, mesmo passando por uma mesma situação, cada pessoa enxerga, sente e vive o momento de um jeito

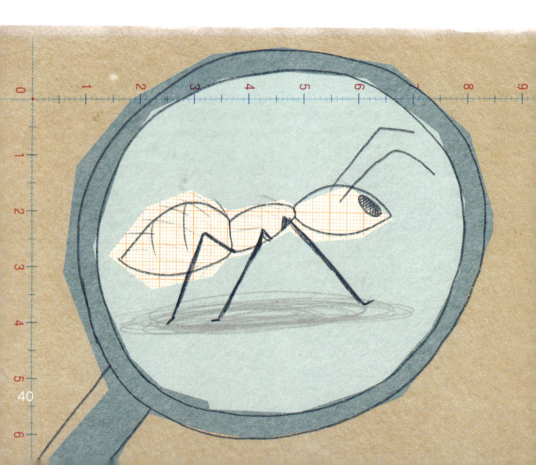

diferente. Muito doido isso, né? Você já viu, por exemplo, duas pessoas que assistiram juntas a um mesmo filme terem reações diferentes – uma sai do cinema chorando e a outra rindo?

Não existe um jeito certo ou errado de enxergar a vida, e cada um utiliza as próprias lentes. Tem horas que parece que estamos utilizando uma lente de aumento e tudo fica grande demais, já em outras não entendemos nada e nossa vista parece embaçada. Será que é tudo ilusão de ótica?

Por falar em lente de aumento, houve algumas ações que ganharam grande proporção na vida da nossa Débora e podem ter interferido em sua forma de pensar e agir. Além dessas que já compartilhamos, algumas cenas, vira e mexe, insistem em

## ESSA EU NÃO SABIA...

Observe as fotos abaixo. Na primeira, à esquerda, você vê um pato ou um coelho? E o que acontece quando você fixa o olhar na segunda?
Se você viu um pato e o seu colega um coelho, já entendeu mais ou menos o que é uma ilusão de ótica. A percepção do que vemos está relacionada não só à visão, mas também a mecanismos cerebrais. Muitas vezes, a combinação desses fatores pode levar uma pessoa a enxergar algo diferente da outra e – até mesmo – dar a sensação de que imagens estáticas estão em movimento.

É UM PATO OU UM COELHO?

SERÁ QUE ISSO ESTÁ SE MEXENDO?

reaparecer em sua mente como um *flash*; por exemplo, um fato que aconteceu em um almoço numa outra escola em que ela trabalhou por alguns anos.

O que pode ter de tão complexo em uma cena de almoço? Talvez você não veja problema nenhum no que vamos contar, mas, para a Débora, foi e ainda é inadmissível. Imagine que você esteja almoçando com várias pessoas, uma delas recebe a melhor comida e em maior quantidade e as demais precisam se contentar com o que "restou". Soa estranho? Ah, mas pode ter uma justificativa: a pessoa que comia do bom e do melhor era a filha do dono da escola e as demais, simples funcionários. E será que isso é correto? A Débora foi exagerada em suas percepções?

> **na ponta da língua**
>
> **ENGANADO**: que foi "iludido"; que acreditou em algo que não era verdadeiro.
>
> **LICENCIATURA**: grau universitário que permite lecionar, ou seja, exercer o Magistério (cargo de professor).

Isso não sabemos. O que temos certeza é de que ela passou por vários momentos nos quais se sentiu desrespeitada e enganada – um sentimento que a incomoda até hoje. Você também já se sentiu assim?

Durante o Magistério, Débora teve que mudar de escola porque o curso que ela fazia acabou extinto. Pois é, o curso de Magistério não existe mais! Então, ela foi estudar no Centro Específico de Formação e Aperfeiçoamento do Magistério (Cefam), que também não existe mais! Hoje, para se tornar professor, é preciso cursar uma faculdade e, dependendo do curso escolhido, fazer licenciatura.

Quando ela terminou o curso no Cefam, foi uma alegria enorme, que encheu a dona Lourdes de orgulho. Tinha chegado a hora de fazer a faculdade. Isso mesmo, ela não quis parar de estudar! Só que entrar na faculdade não era uma tarefa das mais fáceis. Para complicar mais ainda, tinha outro agravante: "a matemática"! Para você, a matemática também é uma pedra no meio do caminho?

Carlos Drummond de Andrade, em 1970.

Carlos Drummond de Andrade, 1970 - Fundo Correio da Manhã/Arquivo Nacional, Rio de Janeiro

### ESSA EU NÃO SABIA...

A expressão popular "Tinha uma pedra no meio do caminho" é usada quando se quer falar de momentos difíceis. O poeta, contista e cronista brasileiro Carlos Drummond de Andrade (1902-1987) escreveu um poema com base nessa expressão, que se tornou um dos mais famosos poemas do século XX. De maneira sagaz e tocante, Drummond reflete sobre os obstáculos e percalços pelos quais todo mundo passa ao longo da vida. Não deixe de ler!

Olhe só... Muita gente pode pensar que ela não gostava de Matemática (a matéria) e, por isso, ela se tornava um obstáculo. Mas lembra que a Débora amava desmontar coisas e resolver problemas? Pois bem, ela adorava e ainda adora Matemática; sempre tirou boas notas nessa matéria. Ué, mas o que aconteceu então? Bom, sabe aquelas decisões que pessoas ou instituições tomam que nos parecem estranhas ou que não compreendemos muito bem? Esse foi um caso...

Quem cursava Magistério tinha outras disciplinas e matérias no lugar da Matemática, mas no vestibular (prova para entrar na faculdade) havia exercícios de Matemática. Conclusão? Débora não ingressou na faculdade pública (gratuita) porque a prova de Matemática acabou atrapalhando a sua pontuação. Mas ela não desistiu. Prestou outro vestibular para uma faculdade particular, passou e foi cursar Letras (com foco nas disciplinas Português-Inglês, mas o que ela queria mesmo era estudar alemão). Talvez você esteja se perguntando: "Ela já não sabia as letras?".

## ESSA EU NÃO SABIA...

Curso de Letras é o nome que se dá para o curso superior, ou graduação, que busca estudar e compreender o funcionamento da linguagem. O estudante de Letras escolhe o idioma a ser estudado, como português, inglês, alemão, árabe, chinês, espanhol, grego etc. Além de estudar um ou mais desses idiomas, os estudantes têm matérias obrigatórias, como Linguística, Estudos Literários, Estudos Culturais, História e Filosofia.

# capítulo três

Quando Débora ingressou na tão sonhada faculdade, já era "maior de idade". Estranho isso, não é mesmo? Todos os anos nos tornamos maiores em idade, basta fazer aniversário... Na verdade, existem algumas leis que determinam o que nos é permitido ou "obrigatório" fazer quando completamos 18 anos e alcançamos a maioridade. Por exemplo: votar, se alistar no Exército, tirar carteira de motorista e assinar documentos importantes sem precisar dos pais ou responsáveis. Às vezes, as pessoas fazem algumas dessas coisas antes mesmo dos 18, mas isso já é outra história.

Voltando à trajetória da nossa Débora, depois daquele episódio no almoço da escola, ela pediu demissão e acabou conseguindo um estágio numa grande editora, dessas que publicam várias revistas e livros. Só que ela não guardou boas lembranças dessa época. Sabe por quê? Porque ela descobriu que aquilo não era para ela, porém, como precisava do trabalho para pagar a faculdade, acabou ficando no estágio.

Você já fez algo porque tinha que fazer, mas não estava muito feliz com isso? Sabemos que na vida temos muitas tarefas: de algumas

> **na ponta da língua**
>
> **ESTÁGIO**: período em que se trabalha em algum lugar para pôr em prática o que se está estudando. Normalmente, estagiamos quando estamos ingressando em alguma profissão.

gostamos muito; de outras, um pouco menos; e ainda há outras de que não gostamos nem um pouco.

# *Débora* GAROFALO

DÉBORA DENISE DIAS GAROFALO

## *perfil*

Tem como principais interesses as tecnologias e o ensino.

É formada em Letras – Português/Inglês e Pedagogia, fez pós-graduação em Língua Portuguesa pela Unicamp e, atualmente, cursa o Mestrado em Educação na PUC-SP. Tem 14 anos de experiência na rede pública de São Paulo, atuando na Educação Infantil, no Ensino Fundamental I e II, no Ensino Médio, em Educação para Jovens e Adultos e em salas de aula multidisciplinares.

## *contato*

 educador@carochinhaeditora.com.br

 + 55 (11) 94085-5452

 /garofalodebora

 /garofalodebora

## *formação*

**2017 - atual**
**Mestrado em andamento em Linguística Aplicada e Estudos da Linguagem**
Pontifícia Universidade Católica de São Paulo (PUC-SP)
Orientadora: Mara Sophia Zanotto

**2011 - 2011**
**Especialização em Língua Portuguesa**
Universidade Estadual de Campinas (Unicamp-SP)
Título: Intertextualidade em Machado de Assis

**2015 - 2015**
**Graduação em Pedagogia**
Universidade Nove de Julho (Uninove-SP)
Título: A arte de contar histórias

**1999 - 2002**
**Graduação em Letras – Português/Inglês**
Centro Universitário das Faculdades Metropolitanas Unidas (FMU-SP)
Título: Literatura Brasileira – do Romance ao Realismo
Orientador: Ricardo Miyake

## *experiência*

**2017 - atual**
**Pontifícia Universidade Católica de São Paulo (PUC-SP)**
Pesquisadora bolsista no Grupo de Estudos da Indeterminação e da Metáfora (GEIM)

**2013 - atual**
**Secretaria Municipal de Educação de São Paulo (SME-SP)**
Professora de Educação Infantil e Ensino Fundamental

**2005 - 2014**
**Secretaria Estadual de Educação do Estado de São Paulo (SEE-SP)**
Professora de Ensino Fundamental II e Médio

## *pesquisa*

**2017 - atual**
**Capes – Centro Anhanguera de Promoção e Educação Social**
Coordenadora do projeto de pesquisa "Investigando práticas de letramento: a leitura na sala de aula e na web"

Na vida, quase todos os dias temos que fazer escolhas, não é verdade? A roupa que vamos vestir, do que vamos brincar, quem vai lavar a louça etc. Não sei se escolhi os melhores exemplos, porque tem gente que não tem tanta roupa assim para escolher, ou, ainda, tem gente que não tem com quem dividir a tarefa de lavar a louça e precisa fazer isso todos os dias. Mas acho que ninguém vai discordar quando digo que, pelo menos uma vez na vida, todo mundo já precisou ou vai precisar fazer uma escolha. E sabe o que a Débora escolheu? Parar de reclamar do lugar que não estava lhe fazendo bem e sair em busca de novas opções. Estamos, afinal, contando a história de uma guerreira!

E lá foi Débora pelas ruas de São Paulo com o currículo debaixo do braço à procura de um novo emprego. Mas não era tão simples assim, porque, além de competente, ela tinha que ter uma boa aparência. Isso mesmo. Alguém já lhe disse que precisava trocar de roupa porque a que estava vestindo não era adequada para determinada ocasião? Muitas vezes, não se trata de estar frio e precisar se agasalhar, trata-se de seguir um suposto padrão de beleza ou o que muitos chamam de padrão estético, moda etc. Uma discussão que certamente ==dá pano pra manga==...

A grande questão é que Débora precisava dar um jeito de atender às expectativas dos novos futuros empregadores, e, nessa hora, ninguém melhor do que uma boa fada madrinha, não é mesmo? Nesse caso, ela teve duas fadas madrinhas: a mãe e a tia.

> na ponta da língua
>
> **DAR PANO PRA MANGA:** Dizemos isso de algo que gera muitos comentários e discussão.

Naquela época, a mãe de Débora trabalhava com a tia vendendo roupas, inclusive, roupas usadas, o que muitos chamam de "roupas de brechó". Pronto! Ali estava a solução perfeita. Débora ganhava e usava as roupas de segunda mão mais "arrumadinhas" que chegavam ao brechó. E não é que deu certo? Nossa chique guerreira, depois de várias entrevistas, conseguiu estagiar em um banco super-renomado. Certamente, não foi só por causa da roupa, mas é possível que a aparência tenha ajudado. É isso mesmo que você está pensando... Ela deixou de ser professora para se tornar o ==braço direito== de grandes executivos.

Papéis importantes, roupa social, sapato alto e até viagens de avião se tornaram rotina na vida da Débora. Como ela se sentia? Nossa... Muito importante e encantada com o "novo mundo" que passou a conhecer. Você sabia que ela ganhava mais dinheiro como estagiária no banco do que como professora?

Mas, mudando de assunto, naquele momento, Débora passou a conviver com pessoas que talvez nem conhecessem as dificuldades pelas quais ela, e um monte de gente, passavam na vida. Eram realidades muito diferentes. Alguns "parceiros" de trabalho até comentavam, ou melhor, cochichavam, que a nova estagiária era um pouco "diferente", mas a maioria queria ajudá-la. Ela não se esquece de um "chefe" que, ao saber que ela nunca tinha viajado para outra cidade, pediu ao taxista (pois é, a princesa teve direito até a carruagem) que a levasse para passear por Brasília. Você já viu um cachorrinho quando sai para passear de carro e coloca a cabeça para fora da

na ponta da língua

**SER O BRAÇO DIREITO**: usamos essa expressão para se referir a uma pessoa em quem se confia muito; um grande colaborador.

**VALE-ALIMENTAÇÃO**

DÉBORA GAROFALO
1309 0010 7109 8080

> **na ponta da língua**
>
> **NEM TUDO SÃO FLORES**: expressão popular usada para descrever momentos em que nem tudo está acontecendo tranquilamente ou como gostaríamos que acontecesse.

janela para sentir o vento e os aromas? Pois é, talvez nossa guerreira "princesa" estivesse se sentido assim: fascinada, com a sensação de ser a pessoa mais importante e privilegiada do mundo! Às vezes, o que não significa nada para algumas pessoas significa muito para outras.

Mas, por causa das viagens, nem tudo eram flores. Débora precisou faltar na faculdade alguns dias e, por um bom tempo, foi difícil conciliar o trabalho com os estudos. Mas ela não desanimou e lutou até o fim para se formar. O banco a ajudava a pagar o curso e, além disso, Débora nunca se esqueceu de como sua mãe ficou feliz ao receber de presente o vale-alimentação que a empresa entregava aos funcionários. Esse benefício proporcionava o abastecimento da geladeira e dos armários da cozinha.

Falando em abastecimento, muita gente deve saber o quanto é complicado carregar as sacolas do supermercado no ônibus lotado e outro tanto de gente deve saber o quão complicado é não ter nem sacolas para poder carregar. Débora sempre acompanhou com muita tristeza e, ao mesmo tempo, com muito orgulho a luta diária da mãe para dar o melhor às filhas; e, assim como muitos filhos e filhas, ela sonhava em dar uma vida melhor à mãe. Débora juntou dinheiro e, com esforço e dedicação, conseguiu comprar um carro para a família. Imagine a alegria de todos!

Mas a vida é cheia de surpresas e, infelizmente, algumas delas tiram a gente do eixo e parecem desafiar as nossas forças. Débora descobriu que a pessoa mais importante de sua vida – dona Lourdes – estava gravemente doente. E, como muitos dizem, parece que existe uma "lei de atração", segundo a qual coisas boas atraem coisas boas e coisas ruins atraem coisas ruins. Na mesma época, ela recebeu a notícia de que o banco encerraria as atividades no Brasil, então, embora fosse uma funcionária exemplar, seria dispensada. Agora, sem dinheiro para pagar a faculdade, só lhe restava encontrar um anjo da guarda, alguém que lhe dissesse: "Olha, você sempre pagou direitinho a faculdade e, como faltam apenas seis meses para finalizar o curso, vamos lhe conceder uma bolsa de estudos".

Esse era o desejo de Débora durante o trajeto até a faculdade. Só que, ao chegar lá, logo disseram: "Aqui não é uma instituição de caridade!". Para resumir esse perrengue, depois de uma mistura de sentimentos, ela fez de novo uma escolha: continuou a frequentar o curso mesmo sem ter como pagar. Foi uma atitude corajosa e meio arriscada, mas Débora conseguiu concluir

> **na ponta da língua**
>
> **TIRAR DO EIXO:** expressão usada quando queremos dizer que algo nos tira do estado normal, deixa a gente descontrolado.
> **PERRENGUE:** situação de "aperto", de dificuldade ou sufoco.

AQUI NÃO É UMA INSTITUIÇÃO DE CARIDADE!

a faculdade. No entanto, a faculdade se recusou a lhe entregar o diploma, alegando que ela estava inadimplente.

O que ela podia fazer? Débora, como sempre, não se conformou e foi em busca de seus direitos. No Programa de Proteção e Defesa do Consumidor (Procon), ela descobriu que a faculdade não poderia "segurar" o diploma por falta de pagamento. Depois de muitas idas e vindas, finalmente recebeu o documento que muita gente pendura na parede, como um troféu.

Até conseguir outro emprego, Débora fez vários bicos para conseguir ajudar nas contas da casa. Eis que, num belo dia, encontrou um amigo que a ajudou a ingressar em uma indústria de circuitos impressos. Era uma fábrica que produzia placas para televisão, rádio e outros equipamentos eletrônicos. Será que agora ela iria desmontar coisas como fazia quando criança? Quase isso.

Na verdade, ela começou a desmontar a estrutura meio fechada que havia na empresa e algumas "imagens" que a gente cria na cabeça. Por exemplo, a ideia de que uma mulher que já tinha sido executiva não se adaptaria ao chão de fábrica; ou a de que precisamos mostrar para os outros o que não somos de verdade; ou a de que a família dos funcionários não tem nada a ver com a empresa.

Nesse lugar, Débora descobriu a robótica, que fez acordar a educadora adormecida dentro dela. Começou, então, a ajudar os funcionários que não sabiam ler e escrever, a abrir as portas da fábrica para as famílias dos funcionários e a fazer todo mundo colocar a "mão na massa". Parece que ela carrega um "bicho-carpinteiro" que a cutuca o tempo todo.

Uma de suas tarefas na empresa era entrevistar as pessoas que queriam ingressar na fábrica. Muitas delas tinham acabado de finalizar o segundo grau ou o chamado Ensino Médio. Você se lembra do tal currículo de que falamos antes? Esses candidatos também entregavam seus currículos, que eram lidos e analisados pela Débora. Depois, algumas dessas pessoas eram chamadas para a entrevista. Sabe o que ela percebeu? A maioria, ainda adolescente, colocava várias

> **na ponta da língua**
>
> **INADIMPLENTE:** aquele que falta ao cumprimento de suas obrigações no prazo estipulado; pessoa ou empresa que não paga suas dívidas.
>
> **BICOS:** trabalhos temporários ou um pequeno serviço.
>
> **CHÃO DE FÁBRICA:** expressão utilizada para designar as tarefas mais produtivas e menos administrativas em uma fábrica.

coisas no currículo que, na verdade, não havia conquistado. Talvez eles quisessem causar uma "boa impressão"! Você já tentou impressionar alguém?

Mas, afinal, o que a Débora acabou fazendo com essa descoberta? Acho que primeiro nasceu uma inquietação, que, rapidamente, se transformou em indignação e, com o passar do tempo, em reação.

Débora começou a imaginar novas estratégias que pudessem ser desenvolvidas no tal "Ensino Médio", ações dinâmicas que ajudassem esses adolescentes quando fossem ingressar no mercado de trabalho.

Você se lembra das inúmeras qualidades de nossa guerreira? Acho que podemos acrescentar mais uma: atrevimento. Eu sei que para alguns isso é um defeito e não uma qualidade, mas será que não depende da situação e do ponto de vista? Débora não tinha muito medo de arriscar, experimentar e errar. Quantas vezes precisamos errar primeiro até acertar?

Frequentemente ela se sentava com o chefão (chefe dos chefes) para propor mudanças. Muitos colegas achavam isso um absurdo. Até hoje tem gente que morre de medo de conversar com o chefe e sente até dor de barriga só de pensar nessa situação. Você também já sentiu medo de falar com alguém? Por que será que sentimos isso, né? Afinal, ninguém é melhor do que ninguém.

Você se lembra da Bela Adormecida? Ou melhor, da professora adormecida? Foi nesse momento que ela começou a acordar. E tem mais um detalhe: assim como quase todas as princesas dos contos de fada, ela também conheceu um príncipe encantado.

## falando nisso...

# A MULHER NOS CAMPOS DE ESTUDO E NO MERCADO DE TRABALHO: CIÊNCIAS EXATAS E TI

**74%** das mulheres, quando crianças, têm interesse em ciência, tecnologia, engenharia e matemática

No entanto, poucas se matriculam em cursos dessas áreas no mundo

Apenas **28%** da população mundial de mulheres escolhe campos de estudos relacionados a essas áreas

A porcentagem mundial de matrículas de alunas em cursos superiores na área de tecnologia da informação é particularmente baixa **3%**

Fontes: ONU Mulheres Brasil. Desigualdades de gênero empurram mulheres e meninas para longe da ciência, avaliam especialistas, executivas e empresárias. Disponível em: <http://www.onumulheres.org.br/noticias/desigualdades-de-genero-empurram-mulheres-e-meninas-para-longe-da-ciencia-avaliam-especialistas-executivas-e-empresarias/>. Acesso em: 28 out. 2019; Unesco no Brasil. *Decifrar o código: educação de meninas e mulheres em ciências, tecnologia, engenharia e matemática (STEM)*. Brasília: Unesco, 2018. 86 p., il. Disponível em: <http://www.unesco.org/new/pt/brasilia/about-this-office/single-view/news/portuguese_version_of_cracking_the_code_girls_and_womens/>. Acesso em: 28 out. 2019.

Na verdade, ela soube que um belo rapaz entraria na empresa, loiro e de olhos verdes, segundo a descrição do próprio chefe. Talvez ele quisesse provocar algumas das poucas meninas que trabalhavam na empresa,

**na ponta da língua**

**ARROGANTE**: pessoa que se acha superior aos demais; pessoa considerada orgulhosa e que, muitas vezes, não ouve os outros.

**PREPOTENTE**: pessoa que assume um comportamento de superioridade e que, normalmente, usa o seu "poder" para oprimir as pessoas que estão sob sua tutoria.

uma fábrica de sistemas impressos, cujos cargos eram ocupados, em sua maioria, por homens.

Giovanni, o tal rapaz, nem era tão esbelto assim. Apesar de não atender a todos os supostos padrões de beleza estabelecidos para um príncipe, Débora via nele uma grande qualidade: não era arrogante e prepotente como a maioria dos rapazes que trabalhavam na fábrica. Talvez por isso os dois tenham se tornado grandes amigos. Para a mãe de Débora, amigos até demais! Você se lembra de que dona Lourdes parecia ter uma bola de cristal? Bastou conhecer o rapaz que foi logo dizendo: "Isso vai dar em casamento!".

Dito e feito. Depois de três meses de amizade, eles começaram a namorar. Compraram um apartamento e, oito meses depois, ficaram noivos; mais oito meses, estavam casados. Para Débora, não podia ter sido diferente. Se demorasse mais, dona Lourdes não teria tido tempo de acompanhar a linda trajetória da filha, o que infelizmente aconteceu com a mãe do rapaz, que faleceu meses antes do casamento.

Você já ouviu a expressão "quem casa ganha uma nova família"? Eu sei que muita gente irá discordar, mas, nesse caso, foi assim mesmo: nosso príncipe ganhou uma nova rainha, dona Lourdes, que também ganhou mais um filho. Juntos, Débora e Giovanni batalharam e conseguiram realizar o grande sonho da rainha: morar perto da praia.

    Você consegue imaginar a alegria de todos no dia de pegar as chaves da tão sonhada casa? Sim? Agora, tente imaginar o tamanho da tristeza e da dor de Débora ao descobrir, nesse mesmo dia, que a mãe teria apenas alguns meses de vida e que a escolha dela, como filha, para evitar mais sofrimento, seria guardar esse "segredo". Você vai me dizer que ninguém é tão forte assim, e talvez tenha razão. Nossa princesa guerreira fraquejou e, por vários momentos, chegou a pensar em "se jogar debaixo do primeiro caminhão". Existe, no entanto, uma coisa chamada fé. Tem gente

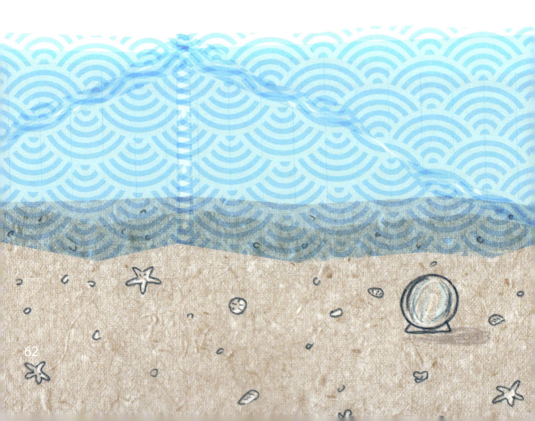

que tem pouca, tem gente que tem muita e tem gente que diz não ter, mas, para Débora, foi a fé que a manteve de pé.

Enquanto passava por essa situação delicada, Débora precisava se manter firme. Além de ser filha e irmã, era esposa e funcionária. Na maioria das vezes, não conseguimos congelar os demais papéis que assumimos na vida para cuidar apenas daquele que está exigindo mais de nós em determinado momento. Débora percebeu que a vida podia ser muito curta e era preciso fazer cada minuto valer a pena. Ela decidiu então prestar concurso para professora e, segundo ela, voltar a ser feliz.

Você já recebeu um abraço carinhoso de alguém e se lembra até hoje da energia envolvida naquele momento? Débora se lembra... Foi esse abraço que recebeu quando disse para a mãe que voltaria a ser professora.

Nossa mulher insistente e determinada, no auge de seus 26 anos, voltou à sala de aula, no período noturno, e reaprendeu com os alunos muito mais velhos do que ela o quão precioso é o acolher e o compartilhar. Compartilhar saberes, angústias, conquistas e sonhos.

A professora Débora foi acumulando histórias... Algumas com finais felizes e outras nem tanto, mas, certamente, histórias marcantes. Até hoje ela se lembra com emoção de um aluno que, com o próprio esforço, contando com o apoio da professora, se livrou das drogas e conseguiu mudar o provável destino de sua vida. Ou ainda dos inúmeros alunos que ingressaram na faculdade e realizaram antigos sonhos. Como ela mesma diz: "São essas coisas que enchem o coração de alegria. Talvez essa alegria possa nos dar força para suportar alguns vazios que se fazem presentes na vida".

Nessa época, Débora trabalhava na fábrica o dia todo e lecionava no período noturno, além de cuidar da mãe. Eis que, novamente, a fada madrinha (ou o anjo da guarda) veio visitá-la. Você consegue adivinhar qual presente ela ganhou? Estava por vir a mais nova herdeira da família. E sabe o que mais? Você se lembra da irmã que foi uma segunda mãe para Débora? Pois é, a fada madrinha tinha passado por lá também!

Mas por que será que a fada resolveu visitar as duas irmãs quase ao mesmo tempo? Não conseguimos falar com a tal fada, mas, segundo Débora, tinha que ser assim. Do contrário, a futura avó talvez não conseguisse acompanhar esse momento mágico na vida das filhas.

# capítulo
## quatro

O quinteto de mulheres fantásticas ganhou então mais duas novas integrantes: a Gigi (filha da Débora) e a Sophia (filha da Aletheia). Ainda não sabemos com quais poderes as meninas nasceram, mas, certamente, herdaram uma linda história de lutas e conquistas.

Você se lembra de que Débora, quando pequena, teve duas mães – a dona Lourdes e a irmã, Aletheia? Pois bem, parece que a história se repetiu... As meninas superpoderosas que haviam acabado de nascer também teriam esse privilégio. A pequena Sophia, inclusive, adorava ser amamentada pela dinda Débora. Já Giovanna... só queria saber do "tetê" da mamãe. Você já ouviu falar em ama de leite? Muita gente pode estranhar essa situação, mas acho que ninguém há de discordar que se trata de um ato de grande generosidade. Não era raro ver Débora amamentando bebês que sentiam fome.

Por falar em generosidade, quando a Gigi nasceu, Débora abriu mão do emprego na fábrica de sistemas eletrônicos para

### ESSA EU NÃO SABIA...

"Dinda" é um substantivo feminino usado como diminutivo de "madrinha", que, nas famílias católicas, designa a mulher que apresenta o bebê na hora do batismo. Por extensão, "dindo" é o diminutivo de "padrinho".

## falando nisso...

**Para não faltar leite**

No dicionário, o termo **ama de leite** refere-se à "mulher que amamenta uma criança que não nasceu de sua barriga".

Você sabia que a prática de entregar as crianças para serem amamentadas por outras mulheres é bem antiga? As chamadas "amas de leite" eram contratadas para trabalhar na casa das famílias ou recebiam as crianças em sua própria casa.

A prática de amamentar crianças de outras pessoas gerava e ainda gera discussões, pois muitos defendem a ideia de que a amamentação não tem apenas a finalidade de suprir uma necessidade do corpo: ela também serve como alimento para o coração, ou seja, há uma relação de amor e afeto nesse ato. Outra questão é a da higiene e saúde e os possíveis problemas causados ao bebê quando a ama de leite tem alguma doença que pode ser transmitida pelo aleitamento. Mas e as mulheres que não têm leite ou não têm leite suficiente? Será que já existiam as mamadeiras? No ano de 1923, um novo decreto passou a regulamentar a prática das amas de leite. A partir do final da década de 1930, foram inaugurados lactários no Brasil, hoje chamados de Bancos de Leite Humano. Você sabia que o leite materno é o alimento ideal para os bebês, pois é o mais completo, e deve ser oferecido de forma exclusiva até os 6 meses de idade?

cuidar da filha. E sabe o que ouviu do chefe na época? Que ela ia "morrer de fome apenas dando aula". Bom, nossa guerreira, novamente, não se abateu com a dura afirmação e simplesmente respondeu dizendo que, "ao menos, iria morrer feliz".

Cuidar de bebê dá trabalho, e Débora se lembra bem das noites maldormidas. Ainda assim, ela expressa com muita alegria o quanto se sentia realizada no seu mais novo papel. Não podemos esquecer que, com a chegada de um novo integrante na família, as contas também aumentam. E agora? Sem o emprego na fábrica, as coisas poderiam ficar complicadas. Mas o que não faltava em nossa guerreira era garra. E foi assim que ela passou a lecionar em vários turnos, sem recusar nenhuma aula; afinal,

precisava ajudar a pagar as contas e, quem sabe, a fazer um pé-
-de-meia.

Eram aulas durante a tarde, aulas à noite e no turno que lhe oferecessem. O cansaço, certamente, atingia nossa professora-
-mãe-guerreira, mas o que a atingiu de verdade foi uma cadeira, ou melhor, um pedaço de cadeira. Vamos a esse episódio.

Numa das salas em que Débora dava aulas, a porta estava sem trinco e, para mantê-la fechada, ela costumava usar uma cadeira. Certo dia, a escola foi invadida, e o intruso, para entrar na sala, chutou a porta com tanta força que a ferragem da

## ESSA EU NÃO SABIA...

A expressão "fazer um pé-de-meia" significa "economizar dinheiro" e é bem antiga, provavelmente originária da Europa, trazida ao Brasil pelos portugueses. Numa época em que não havia bancos como hoje e nem todo mundo confiava as próprias economias a outra pessoa ou a uma instituição, o comum mesmo era guardar dinheiro em casa. E, aí, sabe aquela meia solitária, que tinha perdido o par, furada ou danificada? Acabava servindo de cofrinho. O dono colocava o dinheiro lá dentro, amarrava bem e escolhia um esconderijo seguro. Repare bem na grafia: "pé-de-meia" leva hifens na expressão "fazer um pé-de-meia"; já a peça do vestuário não tem hifens, por exemplo, na frase "perdi um pé de meia".

cadeira se soltou e acabou atingindo Débora, derrubando-a no chão. Imagine a dor que ela sentiu...

Mas isso, segundo ela, doeu menos que a continuação da cena. Enquanto ela ainda estava caída, ouviu a voz do diretor da escola pedindo a ela que se levantasse, afinal os alunos precisavam ter aula.

É bem possível que você esteja tentando imaginar o que se passou na cabeça dela naquele momento. Uma coisa é certa: em vez de se preocupar com a ignorância e a falta de sensibilidade daquele homem, Débora estava mesmo preocupada com o garoto que havia invadido a escola. E, mais do que isso, ela tentava compreender o que levaria uma pessoa a agir daquela forma.

Nesse momento, ela se lembrou da professora do Magistério, que, repetidamente, falava do tamanho da responsabilidade de

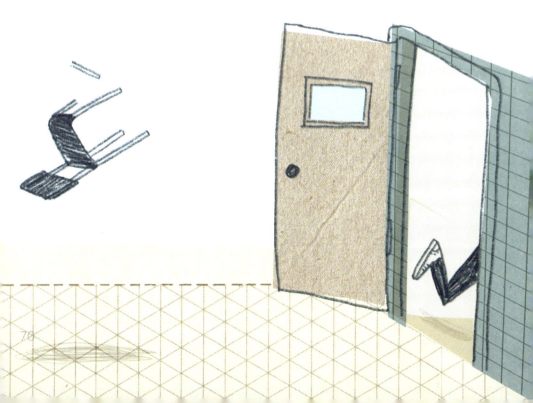

um professor. Ao se levantar, ela compreendeu que o aprendizado deveria atravessar os muros da escola e, assim como já havia proposto na fábrica, era preciso envolver toda a comunidade.

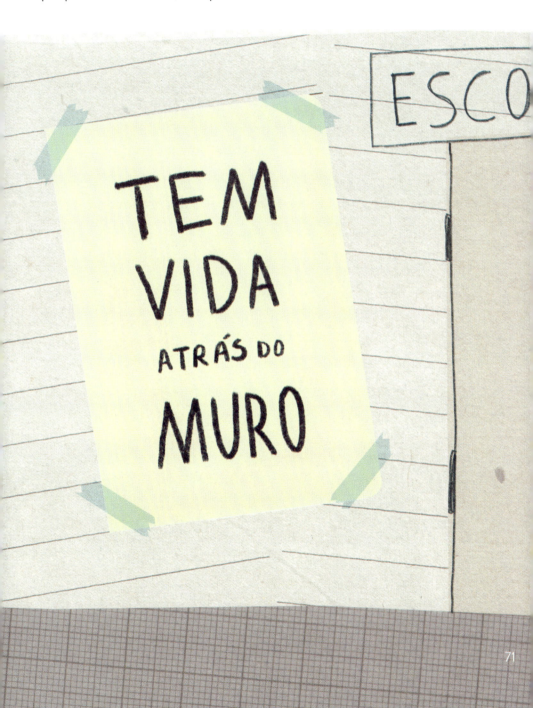

Tarefa simples? Claro que não! Ela sabia que seria necessário ter muita paciência e resiliência, além de apoio e união. Infelizmente, eram coisas difíceis de encontrar naquela gestão, por mais que tentasse.

Talvez a falta de apoio na escola e a delicada situação da mãe tenham interferido na saúde de Débora, que ficou muito doente e precisou se afastar da sala de aula. Essa situação deixou muita gente preocupada, e com preocupações de ordens diferentes. Enquanto alguns se preocupavam com a saúde física e mental da Débora professora, como a mãe e a filha, outros, sem ao menos levar em conta o momento crítico pelo qual ela vinha passando, apenas diziam que seu "afastamento" estava prejudicando os alunos.

Aos poucos, nossa guerreira foi se recuperando; no entanto, em 2011, o pior aconteceu: Débora perdeu a mãe e, novamente, precisou encontrar forças para seguir em frente e buscar, na lembrança e na saudade, energia para cumprir sua nobre missão. E bota nobre nisso!

No final do ano, alguns educadores do Estado têm a possibilidade de se transferir para outra escola. Débora aproveitou essa oportunidade, pois alimentava a esperança de encontrar em outros lugares pessoas que, assim como ela, tinham o grande desejo de transformar a vida de seus alunos e da comunidade da qual faziam parte. Foram muitas idas e vindas, trajetos curtos e longos de uma escola para outra, muita gente bacana e muuuuita gente

# SiGO

## EM FRENTE, NA LEMBRANÇA E NA Saudade

> **na ponta da língua**
>
> **EGOÍSTA**: pessoa que tem o hábito de colocar os próprios interesses em primeiro lugar, sem considerar os interesses e necessidades dos outros.
>
> **MESQUINHO**: pessoa muito apegada a bens materiais, que não tem facilidade para dividir as coisas.
>
> **OS INCOMODADOS QUE SE MUDEM**: expressão ou provérbio que diz que quem não está gostando ou aceitando determinada situação que a deixe, ou seja, que saia dela, sem querer mudar os outros ou a própria situação.

desagradável, egoísta e mesquinha. Acontece que a vida é assim mesmo... Nem sempre as coisas acontecem exatamente como desejamos. Como diz o velho ditado, os incomodados que se mudem. Quantas vezes queremos mudar as pessoas quando, na verdade, temos que mudar a nós mesmos!

Nesse período, Débora adoeceu novamente, só que, desta vez, precisou ficar hospitalizada e chegou a correr risco de morte. Ao falar desse momento, uma forte lembrança vem à mente da nossa mãe-guerreira-professora: Gigi, a filha de 5 anos, com lágrimas nos olhos afirmando repetidamente que ela ficaria bem.

Mas Débora felizmente se recuperou. Quando isso aconteceu, ela decidiu pedir a exoneração do cargo, o que, certamente, para alguns, parecia uma loucura; afinal, se continuasse na escola pública, ela teria um emprego para a vida toda. Mas pense: de que adianta ter um emprego para a vida toda se o preço for passar toda a vida se sentindo infeliz?

Não podemos nos esquecer de que a infelicidade de Débora não se devia aos alunos; pelo contrário, certamente eles sempre foram seus maiores incentivadores. É bem provável que, em função de suas ideias mirabolantes e propostas audaciosas, muitos de seus gestores e colegas a considerassem uma professora "atrevida", que dava trabalho demais, sempre querendo inventar moda.

Então lá se foi nossa professora insistente em busca de mais uma escola, só que agora não era qualquer escola...

Você já gostou de alguém antes mesmo de conhecer essa pessoa? Débora já tinha

> **na ponta da língua**
>
> **EXONERAÇÃO**: dispensa do trabalho.
> **MIRABOLANTE**: ideia incrível, espetacular, surpreendente.
> **INVENTAR MODA**: expressão popular que se refere a ações que têm o intuito de mudar ou melhorar algo, mas que são consideradas desnecessárias porque causam transtornos ou mudam normas preestabelecidas.

ouvido falar de uma determinada escola e se apaixonado por ela. Os motivos? Nem ela sabe dizer. E o mais interessante dessa história é que, na verdade, havia motivos de sobra para ela não

> **na ponta da língua**
>
> **LOUVÁVEL:** que merece agradecimentos, méritos.
>
> **A RECÍPROCA NÃO É VERDADEIRA:** quando há divergência ou discordância entre duas partes; quando um sentimento não é sentido da mesma forma pelo outro.

querer estar lá. Os alunos tinham uma fama não muito louvável. Só que talvez esse tenha sido o principal motivo de Débora querer trabalhar lá, o de se sentir desafiada...

Não é que deu certo? Débora ingressou nessa escola pública para ficar responsável sabe por qual espaço? A sala de leitura, claro! Afinal, ela era formada em Letras, lembra?

Uma coisa que chamou muita atenção da nossa professora era a forma como as crianças se relacionavam com os adultos. Elas

queriam abraçar os professores o tempo todo. Não viam a hora de receber um beijo ou um afago. Mas, infelizmente, a recíproca não era verdadeira. Vários professores, por causa do mau cheiro das crianças, preferiam mantê-las a distância. Mas veja só: grande parte daqueles alunos não tinha sequer um lugar para fazer xixi e cocô, muito menos um chuveiro quentinho para tomar banho.

A nova professora podia parecer meio esquisita para alguns, mas todos reconheciam a sua versatilidade. Débora, então, trocou a sala de leitura pela sala de informática, afinal, de coisas eletrônicas ela até que entendia bem... A sala já existia havia bastante tempo e era muito usada pelos alunos como sala de jogos. Quem não gosta de jogar videogame, não é verdade? Mas nossa

professora queria mesmo era ensinar robótica para os pequenos grandes jogadores. Eles devem ter curtido a ideia, não acha? Só que não...

Muitos diziam que robótica era para criança rica, criança inteligente, criança de escola particular. Como assim uma criança que mora na periferia, na beira do córrego, sem saneamento básico, se daria ao luxo de estudar robótica? Isso só podia ser coisa da professora sonhadora e, claro, doida! Muitos diziam para a professora "Alice" sair do País das Maravilhas.

Débora sabia que ali não era o "País das Maravilhas". No início, ao passar pelas ruas repletas de lixo, cheias de ratos que mais pareciam gatos de tão grandes, nossa professora sonhadora passou dois dias sem conseguir se alimentar. Se o cheiro para alguns era insuportável, para outros era o único possível. Ela percebeu que a miséria ali era muito maior do que aquela que um dia fez parte

## ESSA EU NÃO SABIA...

### O País das Maravilhas e o Mundo de Oz

Alice e Dorothy são protagonistas de grandes clássicos da literatura universal. A primeira dá nome à obra mais conhecida do inglês Charles Lutwidge Dodgson (1832-1898), mais conhecido como Lewis Carroll: *As aventuras de Alice no País das Maravilhas*, publicado em 1865. Nessa história, a pequena Alice cai na toca de um coelho e é transportada para um mundo fantástico, onde encontra diversos personagens – como o Chapeleiro Maluco e o Coelho Branco, que, por meio de referências linguísticas e matemáticas, fazem o absurdo parecer lógico. Já Dorothy é o destaque de *O maravilhoso mágico de Oz*, publicado em 1900 pelo americano Lyman Frank Baum (1856-1919). Na história, a pequena Dorothy, levada por um tornado, também vai parar em um mundo de fantasia – o Mundo de Oz – e lá encontra vários amigos fiéis, entre eles o Leão Covarde. Mas, para voltar, tem que enfrentar a grande Bruxa Malvada do Oeste.

### falando nisso...

**O saneamento básico no Brasil**

Saneamento básico é um direito assegurado pela Constituição brasileira e que se resume em um conjunto de serviços, como abastecimento de água potável, esgoto e limpeza urbana, entre outros. O Brasil teve muitas conquistas de diferentes ordens nas últimas décadas, mas, quando falamos em saneamento básico, estamos distantes do ideal. Muita gente ainda mora em locais onde não existe água potável, nem coleta de esgoto (o cocô e o xixi, muitas vezes, são despejados em fossas – grandes buracos – ou nos rios). Isso pode causar diversos problemas à saúde da população e ao meio ambiente.

---

de sua vida. Estava sendo duro para ela engolir aquela realidade, mas nossa professora tinha duas opções: ficar ou largar. O que você faria?

Biblioteca do Congresso dos Estados Unidos

Ilustração de William Wallace Denslow (1856-1915) para a primeira edição inglesa de *O maravilhoso mágico de Oz*.

Quatro anos se passaram, e quatro diretoras diferentes também: uma por ano. Não se trata de julgar, apenas de retratar aquela dura realidade. As pessoas que trabalhavam ali costumavam esconder o celular e trancar as bolsas nas gavetas. Quer dizer, nem todo mundo. A professora que vivia no Mundo de Oz sempre tinha acreditado e confiado nos alunos.

Não se sabe se foi proteção divina – ou uma simples troca de confiança –, mas a nossa "Dorothy" nunca teve um único objeto danificado ou saqueado. Na verdade, o celular da professora passava de mão em mão, afinal, era a melhor câmera fotográfica que aqueles alunos tinham para registrar as maluquices e engenhocas que criavam.

Falando em engenhocas, não podemos nos esquecer de relatar as lágrimas que a nossa professora derramou durante sua trajetória profissional. E as que rolaram aqui foram pra lá de especiais: Débora se lembra até hoje da emoção que sentiu ao ver o brilho nos olhos dos alunos quando o primeiro carrinho construído com lixo se moveu. Isso mesmo que você leu… LIXO!

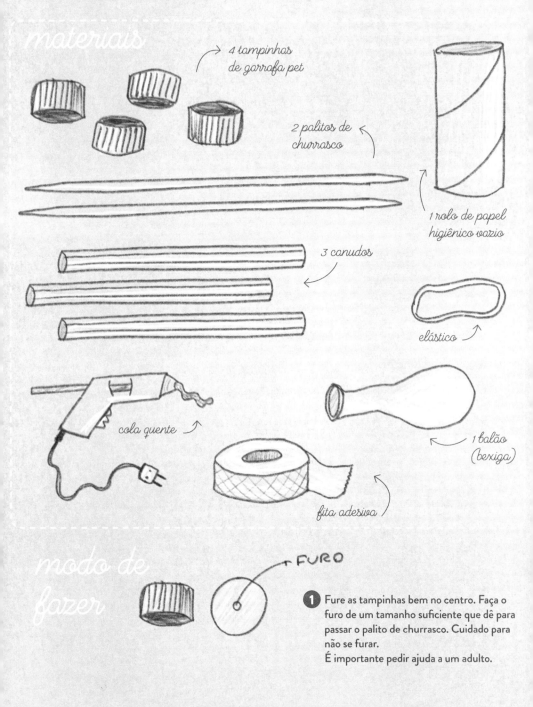

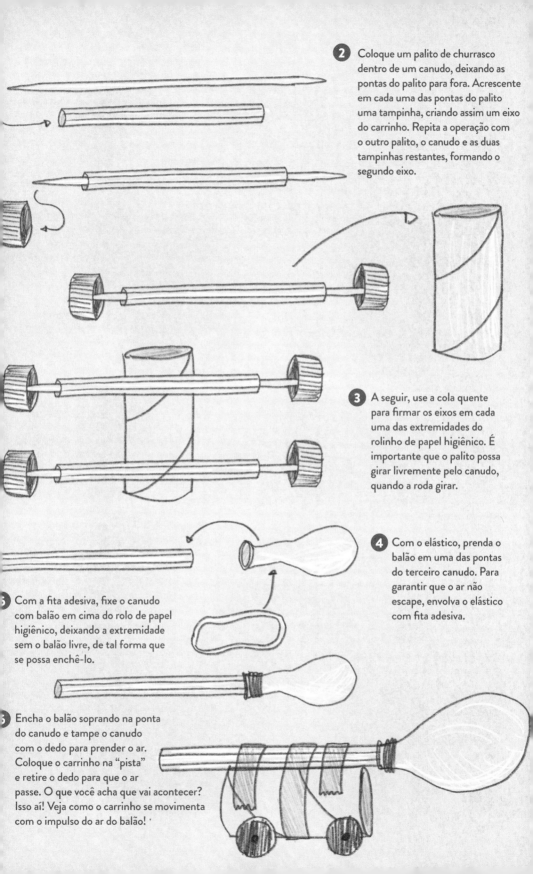

**2** Coloque um palito de churrasco dentro de um canudo, deixando as pontas do palito para fora. Acrescente em cada uma das pontas do palito uma tampinha, criando assim um eixo do carrinho. Repita a operação com o outro palito, o canudo e as duas tampinhas restantes, formando o segundo eixo.

**3** A seguir, use a cola quente para firmar os eixos em cada uma das extremidades do rolinho de papel higiênico. É importante que o palito possa girar livremente pelo canudo, quando a roda girar.

**4** Com o elástico, prenda o balão em uma das pontas do terceiro canudo. Para garantir que o ar não escape, envolva o elástico com fita adesiva.

**5** Com a fita adesiva, fixe o canudo com balão em cima do rolo de papel higiênico, deixando a extremidade sem o balão livre, de tal forma que se possa enchê-lo.

**6** Encha o balão soprando na ponta do canudo e tampe o canudo com o dedo para prender o ar. Coloque o carrinho na "pista" e retire o dedo para que o ar passe. O que você acha que vai acontecer? Isso aí! Veja como o carrinho se movimenta com o impulso do ar do balão!

Você se lembra do lixo espalhado aos montes pelas ruas do bairro da escola? Pois é. Débora e seus brilhantes cientistas recolheram mais de uma tonelada de lixo que serviria de material de trabalho para o projeto da turma. Problemas como a contaminação da água pelos entulhos, os constantes alagamentos e a proliferação de ratos se transformaram em conhecimento e aprendizado, promovendo o protagonismo e o aumento da autoestima dos estudantes.

> **na ponta da língua**
>
> **PRETENSÃO**: do verbo "pretender", também significa ambição exagerada.

Vale lembrar que autoestima era algo que muito alunos desconheciam. Tudo isso foi sensacional, mas não parou por aí: com o projeto, o Ideb da escola passou de 4,2 para 5,2 (esse 1 ponto parece pequeno, mas na verdade é gigante) e permitiu a esses alunos sonhar, ter esperança e acreditar que um mundo novo era possível.

Em 2016, a professora guerreira e transformadora decidiu participar de um concurso. Você já participou de um?

Não se trata de concurso de beleza ou algo assim. Os idealizadores estavam procurando projetos escolares inovadores, e Débora, sem muita pretensão, preencheu o formulário de um tal "Diário da Inovação". Adivinha o que aconteceu?

## falando nisso...

O Ideb (Índice de Desenvolvimento da Educação Básica) foi criado em 2007 pelo Instituto Nacional de Estudos e Pesquisas Educacionais Anísio Teixeira (Inep). Um dos seus principais objetivos é medir a qualidade do aprendizado nacional para, a partir dessas informações, criar e estabelecer metas de melhoria.

Ela recebeu a primeira solicitação para uma entrevista, e muito provavelmente toda a energia da educadora e de seus brilhantes cientistas contagiou entrevistadores e repórteres, que passaram a noticiar informações sobre uma escola que tinha as melhores crianças do mundo. De que crianças eles falavam? Daquelas que tinham uma fama bem ruim, lembra?

Será que a professora tinha uma varinha mágica e havia transformado os "ratinhos" em belos "cavalos", como na história da Cinderela? Ou será que antes as pessoas não eram capazes de enxergar neles joias raras que só precisavam ser lapidadas para brilhar? Bom, isso não vem ao caso... O que sabemos é que, a partir dessa primeira ação, inúmeras reações puderam ser colhidas. Veja, a seguir, a lista de colheitas dessa professora que sempre buscou semear esperança.

# Quem planta conquista!

**1.** Primeiro lugar no prêmio de Direitos Humanos, promovido pela Secretaria Municipal de Direitos Humanos de São Paulo, por combater o trabalho infantil, em 2017.

**2.** Professor em Destaque da Prefeitura Municipal de São Paulo devido à realização do trabalho de robótica com sucata, em 2018.

**3.** Finalista do Prêmio de Melhor Política Pública realizado pela revista *Cláudia*, em 2018.

**4.** Vencedora do prêmio Professores do Brasil na temática Inovação na Educação, em reconhecimento aos êxitos obtidos em uma prática inovadora, em 2018.

**5.** Prêmio Melhor Professora do Brasil, em 2018.

Esta história é curiosa! A Débora se inscreveu no Melhores Professores do Brasil. Como não tinham passado na etapa estadual, ela e os alunos acharam que tampouco iriam ser aprovados na etapa nacional. Mas o que eles não sabiam é que já haviam passado direto para o processo de projetos temáticos. E, mais do que isso, eram os ganhadores, com a nomeação da Débora como a "Melhor Professora do Brasil". A fala dos alunos que mais a marcou na ocasião foi: "Nós já ganhamos, porque vamos ajudar outras crianças com o nosso exemplo!".

**6.** 50 Melhores Professores do Ano. Em 2019, Débora se inscreveu no Global Teacher só para ver como era uma premiação internacional. No dia de receber o prêmio de Melhor Professora do Brasil, enviaram-lhe um e-mail estranho, em inglês, dizendo que ela estava entre os 50 melhores professores do mundo, mas que deveria manter **sigilo**.

na ponta da língua

SIGILO: segredo.

Você já teve que guardar um segredo? Imagine como ela se sentiu... Ah, um detalhe: ela não parava de chorar de emoção, e todos queriam saber por que chorava tanto...

**7.** Ganhadora da Medalha da Cidade de São Paulo, em 2019. Quem já ganhou uma medalha deve saber o quanto isso representa, e quem não ganhou deve imaginar o quão legal deve ser.

**8.** Vencedora do Desafio de Aprendizagem Criativa do MIT Media Lab, em Cambridge, EUA, pelo reconhecimento da prática inovadora, em 2019.

**9.** Vencedora do prêmio Boas Práticas, do Tribunal de Contas do Município de São Paulo, pela boa prática realizada no combate ao desperdício de dinheiro público, em 2019.

**10.** Finalista do Global Teacher Prize, considerado o Nobel da Educação, entre os dez melhores professores do mundo, em 2019.

Um dia, a professora Débora recebeu uma chamada de vídeo com um monte de gente falando em inglês, outro tanto em espanhol, mas todos tinham o mesmo objetivo: anunciar que ela estava entre os 10 melhores professores do mundo. O mundo tem bilhões de pessoas... O que ela respondeu para eles? Nada... Ela simplesmente travou. Isso já aconteceu com você alguma vez? A única coisa que passava pela cabeça de Débora eram as crianças...

**11.** Medalha de Pacificadora pelas Forças Armadas da ONU, em 2019.

**12.** Medalha de Serviços Meritórios – categoria Ouro –, do Tribunal de Contas do Estado de São Paulo, em 2019.

**13.** Convite para fazer parte da Secretaria de Educação de São Paulo.

Em junho de 2019, veio esse convite, com o grande objetivo de dar a 2 milhões e meio de estudantes a mesma oportunidade que os alunos da Débora tiveram. Você aceitaria esse desafio? Para Débora, foi uma decisão muito difícil, pois, de certa forma, deveria deixar as crianças. Mas sabe o que ela ouviu dos alunos? Que deveria ir, porque muitos outros alunos precisavam da sua ajuda. Pois é, além de grandes cientistas, esses alunos se tornaram grandes pessoas, apesar da pouca idade.

**14. Mensagens nas redes sociais.** Ao longo de toda essa jornada de conquistas, Débora recebeu inúmeras mensagens nas redes sociais, muitas das quais fez questão de ==printar== e imprimir para jamais se esquecer de que sua missão era muito maior do que podia imaginar. Como muitos dizem, ==a palavra convence e o exemplo arrasta.==

A palavra que ela mais imprimiu foi ORGULHO. Orgulho de ser brasileiro(a), orgulho de ser professor(a). Na verdade, as mensagens traziam o orgulho que as pessoas sentiam de uma professora como Débora, que representa milhares de educadores brasileiros com o mesmo sonho de transformar realidades.

**na ponta da língua**

**PRINTAR**: ato de tirar um *print screen* da tela do computador, ou seja, tirar uma foto da tela (ou, ainda, fazer uma captura de tela).

**A PALAVRA CONVENCE E O EXEMPLO ARRASTA**: expressão popular segundo a qual as palavras são importantes, mas a atitude é que faz a diferença.

E a Débora esposa e mãe? Bom, Giovanni, o príncipe encantado, já havia se tornado um grande rei. Tão grande que se dispunha a cuidar do reino enquanto a princesa, quer dizer, agora já uma rainha, ia reinar em outros lugares... E a princesinha Gigi? Essa era uma verdadeira incentivadora, que nunca deixava a mãe-rainha se esquecer de que era preciso retornar ao reino. Lá também havia pessoas que precisavam muito dela.

Esta é a história de uma família de guerreiras e de reinos tão, tão distantes e, ao mesmo tempo, tão próximos. Certamente, você também reina em algum lugar e tem muitas histórias para compartilhar. Talvez algumas até sejam parecidas com a de nossa princesa transformada em rainha guerreira, mas outras também devem ser tão extraordinárias que só você é capaz de contar.

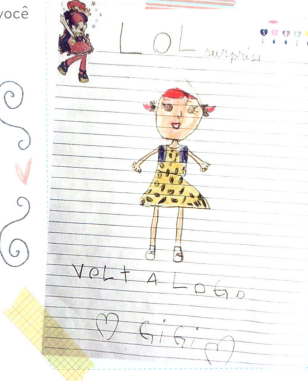

# galeria de fotos

Fotos: Arquivo pessoal

Débora bebê.

Dona Lourdes, mãe da Débora, segurando Giovanna, filha da Débora.

Dona Lourdes recebendo um presente de amigo secreto no Natal.

Letícia, sobrinha da Débora, e Andreia.

Giovanni, marido da Débora,
segurando a recém-nascida Giovanna.

Andreia, Débora e Aletheia
(da esquerda para a direita).

Andreia, Débora e Aletheia
(da esquerda para a direita).

Débora na praia.

# A autora

**CRISTIANE BONETO**

**Um pouco sobre mim:** Meu nome é Cristiane, mas quase todos os meus amigos e amigas me chamam de Cris, e eu adoro ser chamada assim. Sempre fui meio arteira e brincalhona. Sabe qual era minha brincadeira predileta? Brincar de escolinha! Quando eu era pequena, adorava dar aulas para minhas bonecas e bichinhos, meus amigos imaginários e os amigos de carne e osso. Até hoje me lembro dos meus primeiros professores e sinto orgulho e saudade dos momentos que vivemos juntos. Ser professor é fascinante... não dá para explicar o que sentimos quando alguém descobre algo novo a partir das vivências e experiências que propomos. É incrível! E você? Já aprendeu algo novo hoje?

# A ilustradora

## GABRIELA GIL

**Um pouco sobre mim:** Sou ilustradora e professora de ilustração. Aos 9 anos, tive aula de artes com a professora Sabina, uma senhora atenciosa que chamava os alunos carinhosamente de Docinho de Coco e Coração de Abóbora. Com seu amor pelo ensino, apresentava para a turma os grandes mestres da arte. Fazíamos releituras e pinturas em diversas técnicas. Foram dois anos em que aprendi muita história da arte e pesquisava os grandes artistas na biblioteca da escola. Por conta das aulas da professora Sabina, conheci outros olhares e histórias... e me interessei ainda mais pela arte e por ensinar.

### falando nisso...

Antes que este livro termine: de acordo com as histórias medievais e os romances de cavalaria, o Rei Artur é um lendário líder britânico que teria lutado brilhantemente contra a invasão dos saxões no início do século VI, ou seja, há mais de 1.500 anos. Os estudiosos até hoje discutem se Artur realmente existiu, mas o fato é que ele entrou para a história como um dos mais brilhantes guerreiros que o mundo já teve – tal como os educadores que esta série apresenta!

Este livro foi composto pela turma do Reino da Carochinha, em novembro de 2019. Depois de prontos, os exemplares seguiram para vários mestres de todos os lugares do mundo.